Ann M. Martin

AMIGAS Y CÍA

Lucy ya es mayor

Una novela gráfica de
RAINA TELGEMEIER

MOLINO

Título original: *The Baby-Sitters Club. Mary Anne Saves the Day*
Publicado con acuerdo con Scholastic Inc.
Este libro fue negociado a través de la agencia literaria
Ute Körner Literary Agent, S.L., Barcelona.
www.uklitag.com

© del texto, Anne M. Martin, 2007
© de las ilustraciones, Raina Telgemeier, 2007
© de la traducción, Raquel Mancera Francoso, 2008

© de esta edición, RBA Libros, S.A., 2008
Pérez Galdós, 36. 08012 Barcelona
www.rbalibros.com / rba-libros@rba.es

Primera edición: mayo 2008

Compaginación: Manuel Rodríguez

REF: MOSL081
ISBN: 978-84-9867-715-3
Depósito legal: B-1.155-2008
Impreso por Novagrafik (Barcelona)

Este libro es para Beth McKeever Perkins, mi antigua compañera de niñeras. Con amor (y años de recuerdos),

A. M. M.

Muchas gracias a Marion Vitus, Alisa Harris, Alison Wilgus, Zack Giallongo, Seve Flack, Hope Larson, KC Witherall y John Green. Y por supuesto, gracias a mi marido, Dave Roman, por alentarme siempre a sacar lo mejor de mí.

R. T.

6

MI MADRE MURIÓ CUANDO YO ERA UN BEBÉ, Y MI PADRE Y YO NOS QUEDAMOS SOLOS. EMMA, SUS PADRES Y SUS HERMANOS HAN SIDO SIEMPRE COMO UNA FAMILIA PARA MÍ.

¡HOLA, MIMI!

¡HOLA, CHICAS!

CLAUDIA ESTÁ ARRIBA. PASAD, POR FAVOR.

¿QUÉ TAL VA LA BUFANDA QUE ESTÁS TEJIENDO PARA TU PADRE?

¡CASI TERMINADA!

PERO NECESITARÉ SU AYUDA CON LOS FLECOS.

CLARO QUE SÍ, CUANDO TÚ QUIERAS, LUCY.

¡HOLA, CLAUDIA! YA ESTAMOS AQUÍ.

¡HOLA!

UN SEGUNDO, POR FAVOR.

CRICH CRACH

ELLA ES CLAUDIA. EMMA Y YO TAMBIÉN CONOCEMOS A CLAUDIA DESDE PEQUEÑAS. TODOS LOS LUNES, MIÉRCOLES Y VIERNES NOS ENCONTRAMOS AQUÍ, EN SU HABITACIÓN.

¿UNAS CHOCOLA-TINAS?

¿HA LLAMADO ALGUIEN?

RIP

SÍ, TU MADRE, EMMA. NECESITA QUE ALGUIEN CUIDE DE MICHAEL EL JUEVES.

¡HOOLAAA!

¡HOLA A TODAS!

¡HOLA, INGRID!

POR ÚLTIMO, ELLA ES INGRID MCGILL. ES DE NUEVA YORK Y HACE POCO QUE SE MUDÓ A STONEYBROOK.

Y LAS CUATRO FORMAMOS EL CLUB AMIGAS Y CÍA.

¿CÓMO VA ESO?

ESTAMOS MIRANDO LA AGENDA DEL CLUB. EL HERMANO DE LUCY NECESITA UNA NIÑERA EL JUEVES DESPUÉS DEL COLEGIO.

TOSS

INGRID ES FANTÁSTICA. ME ENCANTARÍA SER COMO ELLA ALGÚN DÍA. INCLUSO TIENE ESTILO PARA TRATAR EL TEMA DE SU DIABETES.

VEAMOS...

CLAUDIA, TÚ ERES LA ÚNICA QUE ESTÁ LIBRE ESA TARDE. ¿QUIERES IR TÚ?

CLARO.

¡RING!

¿HOLA? CLUB AMIGAS & CÍA. AH, HOLA, WATSON. SÍ, CLARO, ESPERA UN MOMENTO.

WATSON NECESITA A ALGUIEN PARA KAREN Y ANDREW EL SÁBADO, DE DOS A CUATRO.

YO TENGO CITA CON EL MÉDICO.

YO HE QUEDADO CON MI ABUELA PARA IR DE COMPRAS EL SÁBADO.

BUENO, EMMA, COMO WATSON ES EL NOVIO DE TU MADRE... Y SÉ QUE TE GUSTA ESTAR CON KAREN Y ANDREW...

YO ESTOY LIBRE EL SÁBADO, PERO SI QUIERES PUEDES IR TÚ.

¡GRACIAS!

COMO PODÉIS VER NUESTRO CLUB ESTÁ MUY BIEN ORGANIZADO... AL MENOS LA MAYOR PARTE DEL TIEMPO.

¡RING!

¡CLUB AMIGAS & CÍA.! HOLA, SEÑORA NEWTON.

ESTÁ BIEN. DÉJEME VER... ¿JAMIE Y LUCY?

¡VAMOS A CUIDAR DE LA RECIÉN NACIDA!

¡GENIAL!

¡JE, JE!

¿DE SEIS A OCHO? ¡ESTUPENDO!

ALLÍ ESTARÉ. ¡NOS VEMOS!

LOS NEWTON VAN A ORGANIZAR UNA FIESTA Y QUIEREN A ALGUIEN PARA QUE VIGILE A LOS NIÑOS. ¡NO ME LO PUEDO CREER! SEGURO QUE HASTA PODRÉ DARLE UN BIBERÓN A LUCY Y...

¡EMMA! SUPUESTAMENTE TENEMOS QUE COMENTAR LOS TRABAJOS ANTES DE ADJUDICARLOS. ESA REGLA LA PUSISTE **TÚ**.

AH, SÍ...

LO SIENTO.

A MÍ TAMBIÉN ME GUSTARÍA IR A CUIDAR DE LUCY, ¿SABES?

Y A MÍ.

Y A MÍ TAMBIÉN.

¡YO NO HE HECHO NADA! ¡SOY INOCENTE!

SÍ, **ESTA VEZ** SÍ.

¿**QUÉ** HAS DICHO?

NADA..., SÓLO DIGO QUE TÚ TIENES LA MISMA CULPA QUE CUALQUIERA DE NOSOTRAS.

¡OYE! SI TIENES GANAS DE HACER AMIGAS EN STONEYBROOK, SERÁ MEJOR QUE CUIDES UN POCO MÁS A LAS QUE YA TIENES.

¿ME ESTÁS AMENAZANDO?

PORQUE SI ESO HA SIDO UNA AMENAZA, QUE SEPAS QUE NO ME HACES FALTA... NO TE OLVIDES DE DÓNDE VENGO...

CLARO, YA LO SABEMOS, DE **NUEVA YORK**. ES LO ÚNICO DE LO QUE SABES HABLAR, INGRID.

LO QUE IBA A DECIR ANTES DE QUE ME INTERRUMPIERAS DE ESA FORMA TAN MALEDUCADA ES QUE NO ME HACE FALTA **NADIE** PARA ESTAR BIEN. Y MENOS ENGREÍDAS, MONOPOLIZADORAS...

... O MANDONAS SABELOTODO...

... O NIÑATAS VERGONZOSAS.

¿PERO QUÉ...?

YO **NO** SOY... **SNIFF**... NO SOY UNA NIÑ...

TEMBLOR

... UNA NIÑATA...

VENGA, LUCY, DÉJALO YA. NO SEAS LLORONA.

¡NO! **TÚ**, INGRID, PARA. Y TÚ Y TÚ, TAMBIÉN. PUEDE QUE SÍ **SEA** VERGONZOSA, Y TAMBIÉN **SOY** CALLADA, PERO NO POR ESO PODÉIS PISOTEARME DE ESTA MANERA.

¡SALTO!

CREO QUE TÚ, INGRID, TE ESTÁS COMPORTANDO COMO UNA ESNOB ENGREÍDA.

¡CLARO!

Y TÚ, CLAUDIA, TAMBIÉN HAS SIDO UNA CREÍDA Y UNA ACAPARADORA.

¡LENGUA FUERA!

Y **TÚ**, EMMA THOMAS, ERES LA MÁS MARIMANDONA Y SABELOTODO DEL MUNDO...

... Y ME IMPORTA UN BLEDO SI NO OS VUELVO A VER NUNCA MÁS.

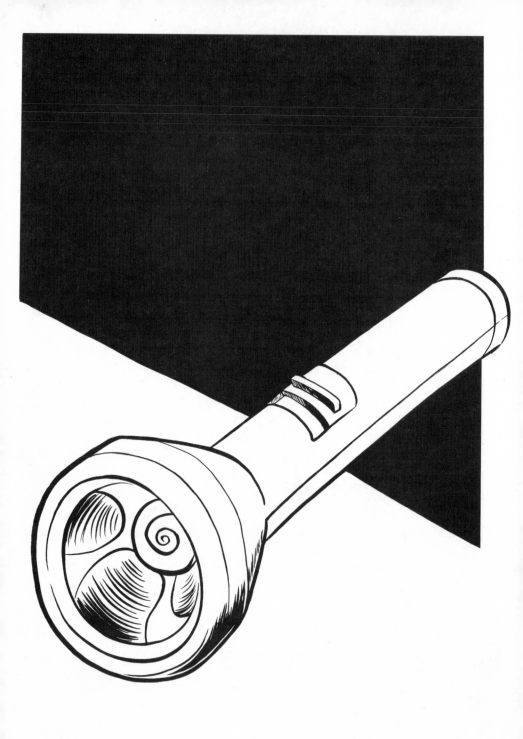

Capítulo 2

NO ME EXTRAÑA QUE INGRID PIENSE QUE SOY UNA NIÑA. SÓLO HAY QUE VER MI HABITACIÓN, ESTÁ EXACTAMENTE IGUAL QUE CUANDO TENÍA DOS AÑOS.

QUIZÁS SI DESCOLGARA ALGUNO DE ESTOS CUADROS... ¿EH?

¡EMMA!

LE VOY A ENVIAR SEÑALES CON NUESTRO CÓDIGO SECRETO. PUEDO PEDIRLE PERDÓN.

VAMOS, EMMA, MIRA POR LA VENTANA, POR FAVOR...

CLIC

LO SIENTO.

¿EMMA? LO SIENTO, DE VERDAD.

PERSIANA ABAJO

EN AQUEL MOMENTO ME DI CUENTA DE QUE EMMA ESTABA MUY ENFADADA.

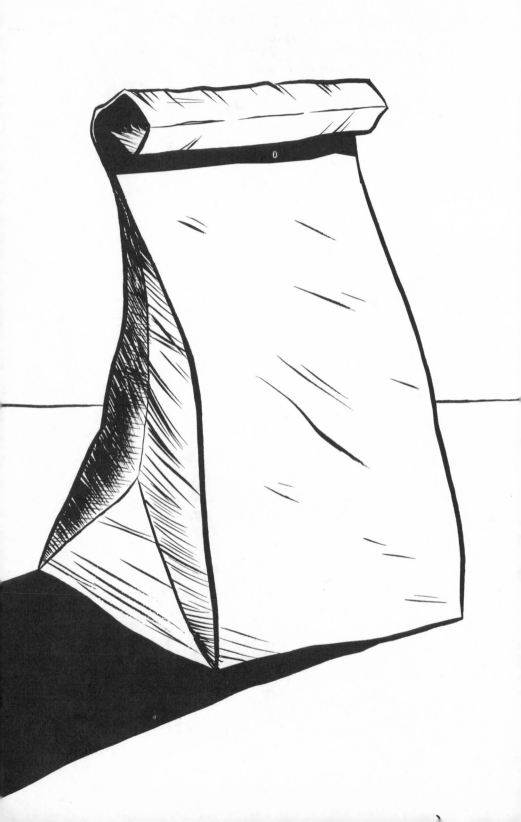

Capítulo 3

¡SUSTO!

7:45

AUTOCAR ESCOLAR

HA SIDO UNA PESADILLA... SÓLO UNA PESADILLA

¡EMMA!

321

¡HUMM!

¡HOLA, EMMA!

¿ME HABLAS A **MÍ** O A ALGUNA OTRA ACAPARADORA DE TRABAJOS?

PUES NO, TÚ ERES LA ÚNICA QUE VEO AHORA MISMO POR AQUÍ.

EXIT

ESTA CARTA **SÍ** SIRVE.

¡RING!

SE LA DARÉ EN EL COMEDOR.

INGRID ESTÁ SENTADA EN EL SITIO DE SIEMPRE, PERO... ¿DÓNDE ESTÁ CLAUDIA?

AHÍ ESTÁ, SENTADA CON TREVOR SANDBOURNE. SUPONGO QUE CLAU Y EMMA TAMPOCO HAN HECHO LAS PACES TODAVÍA.

Y EMMA ESTÁ SENTADA EN **NUESTRA** MESA DE SIEMPRE CON LAS GEMELAS SHILLABER...

TENDRÍA QUE HABERME IMAGINADO, QUE NO ME GUARDARÍA UN SITIO.

ESCUELA SECUNDARIA STONEYBROOK

PERDONA... ¿TE IMPORTA SI ME SIENTO AQUÍ?

LECHE

CLARO QUE NO.

¿TÚ TAMBIÉN ERES NUEVA?

¿NUEVA?

EJEM, NO. ES QUE TODAS MIS AMIGAS... HAN FALTADO HOY A CLASE.

OH.

ESTE ES MI SEGUNDO DÍA EN LA ESCUELA Y COMO NADIE QUIERE SENTARSE CON LOS NUEVOS PENSÉ QUE HABÍA ENCONTRADO LA SOLUCIÓN PERFECTA... ¡OTRA ALUMNA NUEVA!

A MÍ NO ME IMPORTA QUE TE SIENTES CONMIGO, AUNQUE NO SEA NUEVA.

ME LLAMO DANA. DANA SCHAFER.

¿DANA? QUÉ NOMBRE MÁS BONITO. YO SOY LUCY SPIER.

HOLA, LUCY SPIER.

¿ACABAS DE MUDARTE A LA CIUDAD O TE HAS CAMBIADO DE COLEGIO?

HACE UNA SEMANA QUE ME MUDÉ DE CALIFORNIA.

ÑAM ÑAM

NUESTRA CASA TODAVÍA ESTÁ HECHA UN DESASTRE; HAY CAJAS POR TODAS PARTES. AYER TARDÉ VEINTE MINUTOS EN ENCONTRAR A MI HERMANO PARA SENTARNOS A CENAR.

JE JE

¿QUIERES SABER QUIÉN ES EL CHICO MÁS RARO DEL COLEGIO?

¡SÍ!...

ALEXANDER KURTZMAN. SI TE DAS LA VUELTA, ESTÁ SENTADO JUSTO DETRÁS DE TI...

SE ME HACÍA EXTRAÑO ESTAR HABLANDO CON ALGUIEN QUE NO FUERA EMMA, CLAUDIA, INGRID O LAS GEMELAS SHILLABER.

LA VERDAD ES QUE ERA LA PRIMERA VEZ QUE ME HACÍA UNA AMIGA YO SOLA.

¿TE GUSTARÍA VENIR A MI CASA MAÑANA DESPUÉS DE CLASE?

¡OH! SÍ, BUENO... ¡CLARO!

PODRÍAMOS MIRAR UNA PELÍCULA SI QUIERES.

¡VALE!

¿TE APETECE QUE COMAMOS JUNTAS MAÑANA?... ¿O TUS AMIGAS YA HABRÁN VUELTO?

EH...

Capítulo 4

A LA MAÑANA SIGUIENTE...

PARPADEO
PARPADEO

ESTA TARDE TENEMOS REUNIÓN DEL CLUB AMIGAS Y CÍA.

NO PODEMOS SEGUIR ENFADADAS MUCHO MÁS TIEMPO. ¡NO PUEDE SER!

VOY A PEDIRLE PERDÓN A EMMA **AHORA MISMO**.

¡HOLA, LUCY!

HOLA, DAVID MICHAEL. ¿ESTÁ EMMA EN CASA?

SÍ. ACABA DE...

¡DILE QUE **NO** ESTOY!

¡HUMM!

¡HOLA LUCY!

ES UNA CASA ANTIGUA DE UNA GRANJA DEL AÑO 1795.

¡GUAU!

MI MADRE AÚN NO HA ORDENADO TODAS LAS COSAS. DE HECHO, ES BASTANTE DESORGANIZADA. ¡MAMÁ, YA ESTOY EN CASA!

¡ESTOY EN LA COCINA, CARIÑO!

TEN CUIDADO DE NO TROPEZAR CON NADA.

¿QUÉ HACES MAMÁ?

ES QUE ME DISTRAIGO CON CUALQUIER COSA HE DESEMPAQUETADO ESTE ÁLBUM Y HABÍA UN SOBRE LLENO DE FOTOS.

ASÍ QUE ME HE PUESTO A COLOCARLAS EN EL ÁLBUM.

MAMÁ, TE PRESENTO A LUCY. HEMOS COMIDO JUNTAS EN EL COLE.

ENCANTADA DE CONOCERTE, LUCY. SIENTO QUE TODO ESTÉ HECHO UN DESASTRE.

LA HABITACIÓN DE DANA ES EL ÚNICO RINCÓN CIVILIZADO DE LA CASA... EL DÍA DESPUÉS DE MUDARNOS YA LO TENÍA TODO DESEMPAQUETADO Y LISTO.

¿QUÉ QUIERES QUE TE DIGA? SOY UNA CHICA ORGANIZADA.

37

ANTES DE QUE MIS PADRES SE DIVORCIARAN. POR ESO NOS HEMOS MUDADO AQUÍ.

¿Y POR QUÉ **AQUÍ**?

PORQUE MIS ABUELOS VIVEN AQUÍ. MI MADRE CRECIÓ EN STONEYBROOK.

¿EN SERIO? MI PADRE TAMBIÉN. A LO MEJOR SE CONOCEN Y TODO.

SERÍA DIVERTIDO, ¿NO?

SÍ.

¡EY...!

IMAGINO QUE DEBE SER HORRIBLE QUE TUS PADRES SE SEPAREN, PERO HAY UN **MONTÓN** DE NIÑOS CON PADRES DIVORCIADOS. LOS PADRES DE EMMA THOMAS, MI MEJOR...

... MI VECINA... LLEVAN UN MONTÓN DE AÑOS SEPARADOS.

Y TU MADRE, ¿DE DÓNDE ES?

OH. DE IOWA. PERO MI MADRE MURIÓ HACE MUCHO TIEMPO.

OH.

SÍ.

NUNCA ES FÁCIL CUANDO SALE ESTE TEMA EN UNA CONVERSACIÓN. PERO SIEMPRE ACABA SALIENDO.

NO RECUERDO A MI MADRE PORQUE YO SÓLO ERA UN BEBÉ CUANDO MURIÓ.

TENÍA CÁNCER. ME IMAGINO CÓMO TUVO QUE SER PARA MI PADRE... QUEDARSE SOLO CON UN BEBÉ RECIÉN NACIDO.

ESTOY CONVENCIDA DE QUE UNA PARTE DE ÉL TEME PERDERME TAMBIÉN A MÍ, POR ESO ENTIENDO UN POCO QUE SEA TAN ESTRICTO CONMIGO.

Y AUNQUE ME ENCANTARÍA QUE DEJARA DE SERLO, AL MENOS CON RESPECTO A MI PELO Y A MI ROPA, SÉ QUE SI ES TAN ESTRICTO ES PORQUE ME QUIERE MUCHO.

JA JA

JA JA JA!

¡ME ENCANTA ESTA PELÍCULA!

A MÍ TAMBIÉN. SE HA HECHO TARDE.

ERA LA HORA DE LA REUNIÓN EN CASA DE CLAUDIA.

NO SABÍA QUÉ ESPERAR.

Capítulo 5

42

44

DECIDÍ TENDERLE UNA EMBOSCADA A EMMA AL DÍA SIGUIENTE EN EL COLEGIO.

PERDONA.

TENGO QUE HABLAR CONTIGO.

NO, NO HAY NADA QUE HABLAR.

SÍ, YO SÍ. TENEMOS QUE TOMAR UNA DECISIÓN ACERCA DEL CLUB. ¿TE VAS O TE QUEDAS?

¿QUÉ SI ME VOY? ¡ES **MI** CLUB!

SÍ, PERO **TÚ** NO FUISTE A LA REUNIÓN DE AYER.

TE HAS PERDIDO UN MONTÓN DE BUENOS TRABAJOS. NO ÍBAMOS A LLAMAR A CASA DE LAS SHILLABER CADA VEZ QUE RECIBÍAMOS UNA LLAMADA PARA SABER SI LO QUERÍAS.

PUES DEBERÍAIS HABERLO HECHO.

NO, SEGÚN **TUS** REGLAS.

YA...

SERÁ MEJOR QUE ENCONTREMOS LA FORMA DE LLEVAR LAS COSAS HASTA QUE VOLVAMOS A HABLARNOS.

CREO QUE CLAUDIA Y YO SOMOS LAS ÚNICAS QUE NOS HABLAMOS, ASÍ QUE AYER...

¿TÚ Y CLAUDIA OS **HABLÁIS**?

SÍ.

CON AMIGAS COMO TÚ NO HACEN FALTA ENEMIGAS.

¿CÓMO QUIERES QUE SEAMOS AMIGAS SI NI SIQUIERA PODEMOS HABLAR CIVILIZADAMENTE?

VALE, VALE, VALE. ¿QUÉ TE PARECE ESTO? PODEMOS CONTESTAR EL TELÉFONO POR TURNOS EN LAS REUNIONES DE CASA DE CLAUDIA.

TÚ VAS UN DÍA Y YO IRÉ AL SIGUIENTE... LA QUE RESPONDA A LLAMADAS, PODRÁ QUEDARSE TODOS LOS TRABAJOS QUE QUIERA.

CUANDO ESA PERSONA NO PUEDA ASUMIR UN TRABAJO, ENTONCES TENDRÁ QUE LLAMAR AL RESTO DEL CLUB.

¿QUÉ TE PARECE LA IDEA?

ESTÁ BIEN. SE LO DIRÉ A CLAUDIA.

¡HOLA, LUCY!

¡HOLA, DANA!

AYER LO PASÉ GENIAL.

YO TAMBIÉN. HABÍA PENSADO QUE A LO MEJOR TE GUSTARÍA VENIR A MI CASA EL SÁBADO. PODRÍAMOS PREPARAR GALLETAS O UN PASTEL.

¡GENIAL! NOS VEMOS EN EL COMEDOR, ¿VALE?

LA... LA ACABAS DE INVITAR A TU CASA.

OH, OH...

...

PERO NUNCA INVITAS A NADIE EXCEPTO A MI. NI SIQUIERA A CLAUDIA O A INGRID.

DANA ES UNA BUENA AMIGA.

DUDA

BUENO, VALE, YA QUE ESTAMOS...

MI MADRE ME HA DADO MÁS HORAS PARA TRABAJAR DE NIÑERA. AHORA PUEDO QUEDARME IGUAL DE TARDE QUE INGRID Y CLAUDIA: HASTA LAS DIEZ LOS FINES DE SEMANA Y HASTA LAS NUEVE Y MEDIA ENTRE SEMANA.

¡HASTA LAS DIEZ! ¿TE DEJA QUEDARTE HASTA LAS DIEZ?

ASÍ QUE AHORA TODAS LAS CHICAS DEL CLUB PODÍAN HACER DE NIÑERA HASTA MÁS TARDE QUE YO.

BEBÉ

ESTABA ENFADADA CON EMMA Y ESTABA ENFADADA CON MI PADRE.

SABÍA QUE TENÍA QUE HACER ALGO... PERO, ¿QUÉ?

Domingo 11 de enero

Esta tarde he cuidado a Jenny Prezzioso, de tres años. Es vecina de los Pike, así que ya la había visto antes unas cuantas veces. Ella y sus padres tienen un aspecto muy presumido y remilgado, pero la señora Prezzioso es la única que actúa de ese modo. Parece que acabe de salir de las páginas de una revista, y a Jenny la viste como si cada día fuera domingo de Pascua: vestidos de volantes, calcetines de encaje y cintas en el pelo. La señora P seguramente piensa que la palabra "tejanos" es una palabrota.

El señor P, sin embargo, parece que estaría mejor durmiendo delante de la tele, en chándal, camiseta y un calcetín de cada color. Jenny se esfuerza mucho, pero sencillamente no es la niña que su madre desearía que fuera.

Ingrid

DING DONG

Capítulo 6

¡YO ABRO!

JENNY, ¿QUÉ SE SUPONE QUE DEBES HACER CUANDO LLAMAN A LA PUERTA?

PREGUNTAR QUIÉN ES.

ENTONCES, HAZLO, POR FAVOR, INGRID. ¿TE IMPORTARÍA LLAMAR OTRA VEZ A LA PUERTA, POR FAVOR?

SUSPIRO

DING DONG

¿QUIÉN ES?

SOY YO, INGRID, LA NIÑERA.

MUY BIEN, CARIÑO. HOLA, INGRID.

HOLA.

HOLA, JENNY.

HOLA. ME GUSTA TU FALDA.

A VER, JENNY...

ES UNA FALDA MUY BONITA, PERO NO TANTO COMO MI PEQUEÑO ANGELITO CON ESE VESTIDO NUEVO TAN PRECIOSO.

BESOS BESOS

¡YA ESTOY LISTO, MADELEINE!

¡BIEEEEN!

BUENO, ANGELITO, PÓRTATE BIEN CON TU NIÑERA.

¡CON CUIDADO, CHICOS!

EL VESTIDO NUEVO...

BUENO, TENEMOS QUE IRNOS. GRACIAS POR VENIR, IRENE.

SE LLAMA **INGRID**.

ESTA TARDE ESTAREMOS EN CASA DE ELLIOT TAGGART... TE HE DEJADO SU NÚMERO EN LA COCINA. LOS NÚMEROS PARA EMERGENCIAS ESTÁN JUNTO AL TELÉFONO.

PERFECTO. PÁSENLO BIEN.

BUENO, ¿QUÉ QUIERES HACER?

NADA.

VENGA, VA... TIENE QUE HABER **ALGO** QUE QUIERAS HACER. TENEMOS DOS HORAS ENTERAS PARA JUGAR.

NO.

FLOP

BUENO, ENTONCES TENDRÉ QUE JUGAR CON ESTA CAJA DE SORPRESAS YO SOLA.

¿UNA CAJA DE SORPRESAS?

¿PUEDO JUGAR CON ESTAS COSAS?

CLARO. PARA ESO LAS HE TRAÍDO.

¿CON TODAS?

¿ESTE LIBRO ES PARA COLOREAR?

OH. SÍ, PERO...

¿POR QUÉ NO JUGAMOS CON LAS PEGATINAS? ES MUCHO MÁS DIVERTIDO...

¡YO QUIERO PINTAR!

TUG

53

LUNES POR LA NOCHE.

PARA UN LADO

Capítulo 7

PAPÁ, HE ESTADO PENSANDO.

PARA EL OTRO LADO

YA TENGO DOCE AÑOS Y CREO QUE YA PODRÍA VOLVER A CASA A LAS DIEZ, AL MENOS DE VEZ EN CUANDO, CUANDO HAGA DE NIÑERA.

Y VUELTA A EMPEZAR

CLARO QUE NO ME QUEDARÍA HASTA TAN TARDE LOS DÍAS ENTRE SEMANA, PORQUE SÉ QUE TENGO QUE DESCANSAR, PERO...

PLUM

¿LUCY?

¡HOLA, PAPÁ!

HEMOS PERDIDO EL CASO CUTTER. NO ME LO PUEDO CREER, CREÍA QUE LO TENÍAMOS BIEN ATADO.

EL JURADO HA SIDO MUY POCO RAZONABLE.

¿PAPÁ?

HONESTAMENTE, LAS PERSONAS PUEDEN SER TAN... INSENSATAS. ¿PUEDES IMAGINAR QUE...?

... HAYAN DEJADO LIBRE A ESE TIPO QUE TAN CLARAMENTE ERA **CULPABLE** DEL ROBO?

SUPONGO QUE NO... ¿PAPÁ?

¿QUÉ PASA, LUCY?

PAPÁ, HE ESTADO PENSANDO.

¡RIIING!

¿HOLA? SÍ, YA LO SÉ... UNA APELACIÓN...

ESO MISMO ESTABA PENSANDO... ¿QUÉ? SÍ, CLARO. ESTOY TOTALMENTE DE ACUERDO.

¡RIIING!

¿HOLA? SÍ, YO MISMO... SÍ...

ESTÁ BIEN... CORRECTO. LO LLAMARÉ ENSEGUIDA.

QUIERO QUE ME DEJES VOLVER A CASA A LAS DIEZ CUANDO TRABAJE DE NIÑERA.

¡PLOC!

¡CATAPLOC!

¿QUÉ?... OH, OH, LUCY.

MUCHO ME TEMO QUE ESE TEMA ESTÁ FUERA DE DISCUSIÓN.

PERO PAPÁ. SOY LA ÚNICA QUE HA DE LLEGAR A CASA TAN PRONTO.

ESTOY SEGURO DE QUE NO ERES LA ÚNICA CHICA DE SEXTO QUE TIENE QUE ESTAR EN SU CASA ENTRE LAS NUEVE Y LAS NUEVE Y MEDIA.

PAPÁ, ESTOY EN **SÉPTIMO**, NO EN SEXTO.

Y SOY LA ÚNICA CHICA DEL CLUB AMIGAS Y CÍA. QUE NO PUEDE TRABAJAR HASTA MÁS TARDE.

ME TRATAS COMO A UN BEBÉ, PERO SOY CASI UNA ADOLESCENTE. EMMA, INGRID Y CLAUDIA...

LUCY, LO QUE TUS AMIGAS PUEDAN O NO PUEDAN HACER NO TIENE NADA QUE VER. NO ES FÁCIL PARA UN PADRE EDUCAR A UNA HIJA SOLO. ADEMÁS, NO ESTOY MUCHO EN CASA. LO HAGO LO MEJOR QUE PUEDO.

¡ESO NO ES JUSTO! ¿ACASO NO CREES QUE LA SEÑORA THOMAS SEA UNA BUENA MADRE? ELLA **TAMBIÉN** CUIDA DE EMMA Y DE SU HERMANO **SOLA**.

MÍRAME, PAPÁ... YA ESTOY MAYORCITA PARA SEGUIR LLEVANDO ESTAS ESTÚPIDAS TRENZAS Y MI HABITACIÓN PARECE UNA GUARDERÍA.

JOVENCITA, NO ME GUSTA NADA ESE TONO DE VOZ.

¡NO ME IMPORTA! ¡ES HORA DE QUE HAYA ALGUNOS CAMBIOS EN ESTA CASA!

¡LUCY, POR FAVOR!

¿QUÉ ERES? ¿MI PADRE O MI CARCELERO?

¡!

¡UY!

LUCY, EL TEMA QUEDA ZANJADO. Y AHORA VETE A TU HABITACIÓN, POR FAVOR.

HONESTAMENTE, NO TENÍA LA INTENCIÓN DE GRITAR, PERO ¿QUÉ SE CREÍA?

SI PUDIERA LLEVAR EL PELO SUELTO O DESCOLGAR ESE CUADRO INFANTILOIDE...

... NO POR ESO IBA A ESCAPARME DE CASA NI ME IBA A DEDICAR A HACER SALVAJADAS POR AHÍ...

CLIC
CLIC
CLIC

¿QUÉ PUEDE PASAR ENTRE LAS NUEVE Y LAS DIEZ MIENTRAS ESTOY EN UNA CASA HACIENDO DE NIÑERA QUE NO PUEDA PASAR ANTES DE LAS NUEVE?

AL DÍA SIGUIENTE

NECESITABA HABLAR CON ALGUIEN... Y SÓLO SE ME OCURRÍA UNA PERSONA QUE PUDIERA DARME ALGUNA RESPUESTA.

HOLA, MIMI.

HOLA, LUCY.

CLAUDIA NO ESTÁ EN CASA. ESTÁ HACIENDO DE NIÑERA EN CASA DE LOS MARSHALL.

BUENO, ES QUE EN REALIDAD HE VENIDO A VERLA A USTED.

POR SUPUESTO... POR FAVOR, SIÉNTATE AQUÍ. ¿QUIERES UN TÉ, LUCY?

SÍ, POR FAVOR.

GLUP

GLUP

NO PUEDO HACER LAS MISMAS COSAS QUE HACEN INGRID, CLAUDIA Y EMMA.

SUPONGO QUE NO SOY LA PRIMERA QUE TE DICE QUE TU PADRE LO HACE LO MEJOR QUE PUEDE, ¿NO?

SÍ, YA LO SÉ.

TE VOY A DECIR ALGO QUE SIEMPRE LE DIGO A MI CLAUDIA. SI NO ESTÁS CONTENTA CON ALGO, ERES TÚ QUIEN TIENE QUE CAMBIARLO.

PERO, YA LO HE INTENTADO...

SI SE TRATA DE ALGO REALMENTE IMPORTANTE PARA TI, ENTONCES EXISTE EL MODO DE CAMBIARLO.

Y ESTOY SEGURA DE QUE TÚ, MI LUCY QUERIDA, ENCONTRARÁS EL MODO DE HACERLO.

¿QUÉ ACABAS DE DECIR?

SALTO

66

CLAUDIA... ¿YA HAS VUELTO?

¡TE HE OÍDO!

LA HAS LLAMADO... "MI LUCY".

... SÍ, ASÍ ES.

PERO SÓLO YO SOY "TUYA". NI SIQUIERA LLAMAS ASÍ A MI HERMANA.

¡PENSABA QUE YO ERA LA ÚNICA!

PLUM

OH, NO.

NO TE PREOCUPES, LUCY... HA SIDO CULPA MÍA.

HABLARÉ CON CLAUDIA Y SOLUCIONARÉ ESTE MALENTENDIDO.

GRACIAS, MIMI. ADIÓS.

Y ASÍ DE FÁCIL Y UNA VEZ MÁS... TODAS LAS INTEGRANTES DEL CLUB VOLVÍAMOS A ESTAR ENFADADAS.

Martes, 20 de enero.

¡Estoy muy enfadada! Sé que este cuaderno es para escribir sobre nuestras experiencias como niñeras para llevar un registro de los problemas que hayan ido surgiendo. Y aunque este no sea un problema de trabajo, sí lo es del club. Su nombre es Lucy Spier, aunque también se la conoce como "MI LUCY".

No sé cómo Lucy se toma tantas confianzas con Mimi. No es justo. Una cosa es que Mimi le enseñe a tejer, pero hoy se han tomado un té juntas en las tazas especiales de mi abuela y la ha llamado "mi Lucy". Así que lo escribo aquí para que quede constancia de ello.

* Claudia. *

72

VEAMOS... YO ESTOY LIBRE... CLAUDIA TIENE QUE IR A VER UNA REPRESENTACIÓN DE SU HERMANA... INGRID TIENE QUE CUIDAR DE CHARLOTTE... ESO SIGNIFICA...

HOLA, EMMA. SOY YO OTRA VEZ. LOS PIKE NECESITAN A DOS NIÑERAS EL VIERNES POR LA NOCHE. TÚ Y YO SOMOS LAS ÚNICAS QUE PODEMOS IR. TENEMOS QUE CUIDAR A LOS OCHO NIÑOS. ¿QUIERES HACERLO?

¿CONTIGO?

SÍ.

LA VERDAD ES QUE NO.

CORRECTO. LE PEDIRÉ A SCHAFER QUE VENGA CONMIGO.

¡ATRÉVETE Y VERÁS!

NO ME DEJAS OTRA OPCIÓN.

LUCY SPIER, PARA SER TAN TÍMIDA ERES UNA...

¿QUÉ? ¿QUÉ SOY?

DA LO MISMO. IRÉ YO CONTIGO.

NO ME HACÍA **NINGUNA** ILUSIÓN HACER DE NIÑERA CON EMMA AMANDA THOMAS.

Sábado, 31 de enero.

Ayer, Lucy y yo hicimos de niñeras en casa de los Pike. Estoy sorprendida de que lo hayamos conseguido. Por eso, que quede constancia de que es posible:

1) Que dos personas hagan de niñeras para ocho niños sin volverse locas (las niñeras y los niños).
2) Que las niñeras lo consigan sin tan siquiera dirigirse la palabra.

Deberían levantar un monumento a las niñeras, y escribir un libro que cuente nuestras experiencias para que todo el mundo las pueda leer. Hacer lo que hicimos requiere de mucha imaginación.

... y también una buena pelea, creo.

Emma.

Capítulo 9

¡FIU!

¡HOLA, EMMA! PASA, POR FAVOR.

NO IBA A SER FÁCIL EVITAR A EMMA.

¡DING DONG!

¡ESTUPENDO! YA ESTÁIS LAS DOS AQUÍ. TENEMOS BASTANTE PRISA, PERO LAS DOS SABÉIS DÓNDE ESTÁ TODO. LA HORA DE ACOSTARLOS ES LA DE SIEMPRE Y LA CENA ESTÁ EN LA NEVERA... ESTAREMOS DE VUELTA A LAS NUEVE.

ADAM

NICKY

JORDAN

VANESSA

MALLORY

BYRON

CLAIRE

MARGOT

¿QUÉ HAY DE CENA?

POLLO FRITO FRÍO O SÁNDWICHES DE ATÚN.

¿PUEDO COMER LAS DOS COSAS?

A MÍ NO ME GUSTA NI EL POLLO NI EL ATÚN.

ENTONCES PREPÁRATE UN SÁNDWICH DE MANTEQUILLA DE CACAHUETES.

VALE.

¿CUÁNDO CENAMOS?

A LAS SEIS.

SEIS Y **MEDIA**.

¿PUEDO VER DIBUJOS ANIMADOS?

¿PODEMOS BYRON, ADAM Y YO JUGAR A LAS CARRERAS DE OBSTÁCULOS EN EL SALÓN?

78

¿"EN LA ARENA CAEN LOS HUEVOS"?

¡NO, QUE **COMIENCES EL JUEGO**!

¡YA ES HORA DE CENAR, CHICOS! TODOS A LA COCINA.

¡BIEN, COMIDA!

¡BRAVO!

¡ESTAMPIDA!

¡SILBIDO!

NO SÉ LO QUE SIGNIFICA, EMMA...

... PERO NECESITAMOS UN ORDEN.

Y ASÍ PASAMOS EL RESTO DE LA TARDE. EMMA Y YO NO NOS DIRIGIMOS LA PALABRA NI UNA SOLA VEZ, Y LOS NIÑOS NO SE DIERON CUENTA DE QUE ALGO NO IBA BIEN.

PENSARON QUE SIMPLEMENTE JUGÁBAMOS A UN JUEGO DIVERTIDO.

FINALMENTE, ME LLEVÉ A LOS MÁS PEQUEÑOS ARRIBA PARA PREPARARLOS PARA IRSE A LA CAMA.

¡OH, DIOS MÍO! ¡YA SON LAS OCHO Y CINCUENTA Y CINCO!

CLIC

¡RÁPIDO! ¡TODOS A LA CAMA! MAMÁ Y PAPÁ VENDRÁN A DAROS LAS BUENAS NOCHES EN SEGUIDA.

¡HOLA! ¡YA ESTAMOS EN CASA!

85

Capítulo 10

LA VERDAD ES QUE PAPÁ ME SORPRENDIÓ... NO ESTABA ENFADADO. AUNQUE APROVECHÓ LA OCASIÓN PARA DARME UN BUEN SERMÓN.

... Y LA PRÓXIMA VEZ QUE CREAS QUE VAS A LLEGAR TARDE, POR LA RAZÓN QUE SEA... SÓLO TIENES QUE LLAMARME, ¿VALE?

... ESTÁ BIEN.

TENDRÍA QUE HABERLO LLAMADO EN LUGAR DE PONERME TAN NERVIOSA...

Y TIENE RAZÓN EN QUE SIEMPRE SE PUEDE SER MÁS RESPONSABLE DE LO QUE UNO ES.

BOTÓN BOTÓN

COMO ESTA NOCHE EN CASA DE LOS PIKE. PODRÍA HABER SIDO UN AUTÉNTICO DESASTRE.

NO PODEMOS SEGUIR TRABAJANDO EN EL CLUB DE ESTE MODO. YA ES HORA DE SOLUCIONAR LAS COSAS. TENGO QUE HABLAR CON EMMA. ESO SÍ QUE SERÍA ACTUAR DE UN MODO RESPONSABLE.

PERO...

... ¿CÓMO LO HAGO?

AL DÍA SIGUIENTE.

¿QUÉ PODEMOS HACER?

NO LO SÉ.

¡EY! AL FINAL NO AVERIGUAMOS SI NUESTROS PADRES SE CONOCÍAN EN EL COLEGIO.

¡ES VERDAD!

¿EN QUÉ AÑO TERMINÓ TU PADRE EL COLEGIO?

MMM, NO ME ACUERDO...

¿CUÁNTOS AÑOS TIENE?

DÉJAME PENSAR... TIENE CUARENTA Y UNO... NO, CUARENTA Y DOS, ESO ES.

¡MI MADRE TAMBIÉN!

VAMOS A PREGUNTÁR-SELO AHORA MISMO.

CUANDO ERA PEQUEÑA LOS MIRABA TODO EL TIEMPO...

¿POR QUÉ HAY TANTOS?

PORQUE ESTÁN LOS DE MI PADRE Y LOS DE MI MADRE... DEL COLEGIO Y DE LA UNIVERSIDAD. ESTOS SON LOS DEL COLEGIO DE MI PADRE...

MIREMOS EL DEL ÚLTIMO AÑO... ASÍ VEREMOS LAS FOTOS MÁS GRANDES.

¡MI MADRE TERMINÓ EL COLEGIO ESE MISMO AÑO!

¡VENGA, ÁBRELO!

FLIP FLIP

HAY UN MONTÓN DE COSAS ESCRITAS EN CLAVE EN LOS PIES DE FOTO.

GER
lub

LINDA DAVIS
Animadora de J.V.
Animadora del equipo
"Me encanta lo que haces"

ERIC EVANS
El chico guay de la clase.
A/V

M
Cien
Ajedr
"Maña

¿QUÉ SIGNIFICARÁN?

¡ÉSTE ES MI PADRE! ¡GUAU! ¡ME HABÍA OLVIDADO DE LO RARO QUE ESTABA!

¿QUÉ DICE DEBAJO DE SU FOTO?

ES UN POCO EXTRAÑO... "PARA S.E.P.: NO CAMINES DELANTE DE MÍ... PUEDE QUE NO TE SIGA. NO CAMINES DETRÁS DE MÍ... PUEDE QUE NO TE GUÍE..."

"... CAMINA JUNTO A MÍ Y SÉ MI AMIGO. CAMUS"

AN SONG
A.B.
usicals
ield

RICHARD SPIER
Para S.E.P.: "No camines delante de mí...
puede que no te siga.
No camines detrás de mí...
puede que no te guíe...
Camina junto a mí y sé mi amigo."
Camus

CARA TAND
CT + DB 4Ever!

¿QUIÉN ES CAMUS?

NI IDEA. PERO "S.E.P."...

SON LAS INICIALES DE SOLTERA DE MI MADRE.

¡CORRE! BUSCA LOS APELLIDOS QUE EMPIEZAN POR P. SE LLAMA SHARON PORTER.

FLIPPITY!!

¡AQUÍ ESTÁ! SHARON EMERSON PORTER.

NO DICE NADA MÁS... NINGUNA NOTA TONTA AL PIE. PERO MIRA...

¡ES LA FIRMA DE TU MADRE!

Queridísimo Richie:

Cuatro años no han sido suficientes. (Comencemos otra vez.) ¿Cómo podríamos separarnos? Todavía tenemos un verano por delante. Aprovechémoslo. (El amor es ciego.)

SHARON EMERSON PORTER

Por siempre,
Sharon.

DALE ROGERS
Club de ajedrez
Equipo de debates
Esgrima

Field Hockey
's Band

... MUCHO ME TEMO QUE SÍ SE CONOCÍAN...

DE PRONTO TENÍAMOS UN MONTÓN DE PREGUNTAS SIN RESPUESTA.

¿POR QUÉ CREES QUE GUARDÓ ESA ROSA?

¿EN RECUERDO DE ALGUNA FIESTA? SEGURO QUE FUERON JUNTOS A LA FIESTA DE FINAL DEL COLEGIO.

A LO MEJOR GUARDAN UNA FOTO DE LA FIESTA EN ALGÚN SITIO.

¡SEGURO! SI LA ENCONTRÁRAMOS PODRÍAMOS VER SI MI MADRE LLEVABA UNA ROSA CON UNA CINTA DE SATÉN EN SU VESTIDO.

LECHE

"UN VERANO POR DELANTE." ME PREGUNTO POR QUÉ SABÍAN QUE SE TENDRÍAN QUE SEPARAR DESPUÉS DEL VERANO.

A LO MEJOR NO SE REFERÍAN A ESO.

¿QUÉ QUERRÍA DECIR TU MADRE CON "EL AMOR ES CIEGO"?

A LO MEJOR ALGUIEN ESTABA EN CONTRA DE SU RELACIÓN, PERO ELLOS SE QUERÍAN DEMASIADO PARA VER QUE ALGO IBA MAL.

¿QUÉ PODRÍA IR MAL?

NI IDEA...PERO ESTOY SEGURA DE QUE A ALGUIEN NO LE GUSTABA QUE ESTUVIERAN JUNTOS.

ALGO SUCEDIÓ AQUEL SÁBADO QUE HIZO QUE ME OLVIDARA DE NUESTROS PADRES Y DE LOS PROBLEMAS DEL CLUB.

TENÍA QUE HACERME CARGO DE JENNY PREZZIOSO Y LLEGUÉ A SU CASA A LAS ONCE Y MEDIA.

¡DING DONG!

LUCY

¿QUIÉN ES?

SOY LUCY SPIER, TU NIÑERA.

INGRID NOS HABÍA PUESTO AL CORRIENTE DE TODO LO RELACIONADO CON JENNY EN LA LIBRETA DEL CLUB, ASÍ QUE IBA BIEN PREPARADA.

¿ERES UNA EXTRAÑA?

NO, SOY LUCY. ¿POR QUÉ NO VAS A BUSCAR A TU MADRE?

ESTA TARDE PUEDE SER **MUY** LARGA.

HOLA, LUCY. SOY LA SEÑORA PREZZIOSO Y ELLA ES MI PRECIOSO ANGELITO, JENNY.

MI MARIDO Y YO VAMOS A VER UN PARTIDO DE BALONCESTO.

UN AMIGO SUYO JUEGA CONTRA SU EQUIPO RIVAL MÁS IMPORTANTE, ASÍ QUE ESTÁ EXCITADÍSIMO.

¿ESTÁS LISTA, CARIÑO?

VAMOS A ENCONTRARNOS CON UNOS AMIGOS, IREMOS AL PARTIDO Y CENAREMOS ALGO RÁPIDO. LLEGAREMOS A LAS SIETE, COMO MUY TARDE.

NO SÉ SI ES BUENA IDEA QUE ESTEMOS FUERA TANTAS HORAS...

NO SE PREOCUPE, SEÑORA, TODO IRÁ BIEN.

SÍ...

TE HE DEJADO UN MONTÓN DE NÚMEROS DE TELÉFONO... DEL MÉDICO DE JENNY, DEL GIMNASIO DONDE SE JUEGA EL PARTIDO Y LOS TELÉFONOS DE EMERGENCIA DE RIGOR...

... ¡MUY BIEN! ¿QUÉ TE APETECE QUE HAGAMOS, JENNY? TENEMOS TODA LA TARDE PARA JUGAR.

NADA.

¿CÓMO QUE NADA? FUERA NO HACE TANTO FRÍO. PODRÍAMOS IR A VER SI A CLAIRE PIKE LE APETECE SALIR A JUGAR.

¡NO, NO, NO, NO Y NO!

COMO TÚ QUIERAS. ¿TE APETECE QUE LEAMOS UN CUENTO?

SUPONGO QUE SÍ.

¿CUÁL PREFIERES?

CUENTOS DE PRINCESAS

SOMBREROS PARA MURCIÉLAGOS

INDIFERENCIA

ESTÁ BIEN. LEEREMOS ÉSTE. "UN DÍA UNA NIÑA Y SU MADRE FUERON..."

CUENTOS DE PRINCESAS
POR Grace McPlace

ESTO NO VA **TAN** MAL.

CUANDO CONSIGUES QUE JENNY SE CALME, ES MUY...

... ¿JENNY?

ZZZZ

TRES MINUTOS...
TENGO QUE ESPERAR
TRES MINUTOS...
QUE NO CUNDA EL
PÁNICO, LUCY...

TIC TIC

TIC TIC

¡CUARENTA
GRADOS!

MENOS MAL QUE ME HAN
DEJADO EL TELÉFONO DEL
MÉDICO...

PIP
PIP

"BIP". ESTÁ HABLANDO CON LA CONSULTA DEL DOCTOR KAHN.
NO PODEMOS ATENDER SU LLAMADA EN ESTOS MOMENTOS, POR
FAVOR, DEJE UN MENSAJE DESPUÉS DE LA SEÑAL.

ESTÁ BIEN,
INTENTARÉ
LLAMAR A LOS
VECINOS...

HOLA, ES LA CASA DE
LOS CRAINE. DEJE SU
MENSAJE...

CALMA...
CALMA...

"PIP". HOLA, SOMOS
LOS PIKE, PERO
NO ESTAMOS EN
CASA...

"PIP". ESTÁS HABLANDO CON
LA CASA DE LOS SPIER. SI
QUIERES DEJAR UN MENSAJE
PARA RICHARD O PARA
LUCY...

SNIFF

SIETE MINUTOS MÁS TARDE...

HE VENIDO TAN RÁPIDO COMO HE PODIDO, LUCY. ¿DÓNDE ESTÁ?

ALLÍ, EN EL SOFÁ. EL MÉDICO TODAVÍA NO ME HA DEVUELTO LA LLAMADA... ¿QUÉ PODEMOS HACER?

SI MI MADRE ESTUVIERA EN CASA NOS PODRÍA LLEVAR A URGENCIAS EN EL COCHE, PERO HA IDO DE COMPRAS CON MI HERMANO. ¿HAS INTENTADO HABLAR CON LOS PADRES DE JENNY?

¡SÍ!

LES HE DEJADO UN MENSAJE EN EL GIMNASIO, PARA QUE LLAMEN EN CUANTO LLEGUEN ALLÍ.

INTENTA LLAMAR A URGENCIAS. A LO MEJOR TE DICEN QUÉ PUEDES HACER.

SERVICIO DE URGENCIAS. ¿EN QUÉ PUEDO AYUDARLA?

HOLA, ESTOY CUIDANDO A UNA NIÑA DE TRES AÑOS Y ESTÁ A CUARENTA DE FIEBRE. NO HE PODIDO ENCONTRAR A SUS PADRES, NI AL MÍO, NI AL MÉDICO DE LA NIÑA...

LOS NIÑOS PEQUEÑOS SUELEN TENER EPISODIOS DE FIEBRES MUY ALTAS QUE AL FINAL NO RESULTAN SER NADA GRAVE... PERO CUARENTA GRADOS ES **MUCHO**. DEBERÍA VERLA UN MÉDICO CUANTO ANTES.

DE ACUERDO...

106

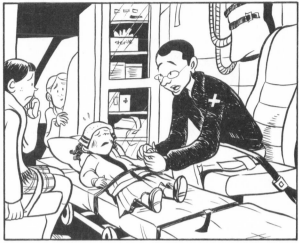

ADMISIONES

URGENCIAS

EL MÉDICO VENDRÁ A VERLA EN CUANTO PUEDA.

MUCHAS GRACIAS.

¿QUÉ HACEMOS AHORA?

SUPONGO QUE SÓLO PODEMOS ESPERAR.

¡ARCADA!

TIENE UNA INFLAMACIÓN DE GARGANTA. NO ES NADA SERIO.

¡OH! ¡MUCHAS GRACIAS, DOCTORA!

¿DÓNDE ESTÁN LOS PADRES DE LA PEQUEÑA?

ESPERO QUE DE CAMINO HACIA AQUÍ.

DE ACUERDO. PUEDE QUEDARSE AQUÍ MIENTRAS HACEMOS UNAS PRUEBAS... ME GUSTARÍA HABLAR CON LOS PADRES DE JENNY ANTES DE QUE SE VAYA.

TENDREMOS QUE ESPERAR UN POQUITO MÁS, JENNY...

¡NO, NO, NO, NO Y NO!

... YA SE ENCUENTRA MUCHO MEJOR.

Capítulo 12

EN REALIDAD TENEMOS QUE VOLVER A SU CASA, ME HE DEJADO ALGUNAS COSAS EN EL SALÓN Y DANA TAMBIÉN DEJÓ ALLÍ SU BICICLETA.

¡NINGÚN PROBLEMA!

CHICAS, QUIERO DAROS LAS GRACIAS POR TODO... HABÉIS HECHO UN TRABAJO ESTUPENDO. ESTOY MUY ORGULLOSO DE VOSOTRAS... NO SÉ CÓMO AGRADECÉROSLO LO SUFICIENTE.

ESPERO QUE NO LE IMPORTE QUE HAYA LLAMADO A UNA AMIGA. LA VERDAD ES QUE NECESITABA QUE ALGUIEN ME ECHARA UNA MANO Y NO SE ME OCURRIÓ NADIE MEJOR QUE ELLA.

HAS HECHO LO QUE DEBÍAS HACER. TAMBIÉN HICISTE BIEN EN LLAMAR AL GIMNASIO.

NADA MÁS LLEGAR OÍMOS NUESTROS NOMBRES POR LOS ALTAVOCES.

¿CÓMO HABÉIS LLEVADO A JENNY AL HOSPITAL?

LLAMÉ A URGENCIAS Y ELLOS ENVIARON UNA AMBULANCIA.

PROBABLEMENTE RECIBAN UNA LLAMADA DEL MÉDICO DE JENNY. FUE LA PRIMERA PERSONA A QUIEN LLAMÉ, PERO TODAVÍA NO HABÍA DEVUELTO LA LLAMADA CUANDO NOS FUIMOS AL HOSPITAL.

¡VAYA, LUCY! MUCHAS GRACIAS.

A TI TAMBIÉN, DANA. QUIERO QUE SEPÁIS QUE SIEMPRE ME SENTIRÉ TRANQUILO SABIENDO QUE JENNY ESTÁ EN VUESTRAS MANOS.

¡GUAU! ¡GRACIAS!

SÍ, GRACIAS. PERO NO HACE FALTA QUE ME PAGUE A **MI**.

LO SÉ, PERO OS LO HABÉIS GANADO...

¡CARAMBA! ¿QUIERES VENIR UN RATO A MI CASA?

VALE.

¿VERDAD QUE LA MADRE DE JENNY ES UN POCO RARA? ¿TE HAS FIJADO EN EL VESTIDO NEGRO TAN ELEGANTE QUE LLEVABA? ¡Y ESO QUE SÓLO IBAN A VER UN PARTIDO DE BALONCESTO!

Y LLAMA A JENNY "MI ANGELITO".

SÍ, SU PADRE TAMBIÉN LA LLAMA ASÍ. PERO ÉL ME GUSTA.

Y ES MUY GENEROSO. ¿QUIÉN LO DIRÍA? CINCUENTA DÓLARES PARA CADA UNA.

OYE, CUANDO ACABEMOS DE COMER QUIERO ENSEÑARTE UNA COSA.

¿DE QUÉ SE TRATA?

¡UN ÁLBUM DE FOTOS!

TODAVÍA NO LO HE MIRADO... HE PREFERIDO ESPERARME A VERLO CONTIGO.

¡GENIAL!

PLAS
PLAS

SON FOTOS **MUY** VIEJAS.

SÍ, LA VERDAD ES QUE NO RECONOZCO A NADIE.

LUCY, ¿QUIÉN ES ESA CHICA? Y ¿QUÉ SE SUPONE QUE ESTÁS HACIENDO?

OH, EJEM...

ME RESULTA FAMILIAR. LA HE VISTO EN EL COLEGIO, ¿NO?

SÍ... ES EMMA THOMAS. NADIE IMPORTANTE.

SI NO ES NADIE IMPORTANTE, ¿CÓMO ES QUE OS ESTÁIS SACANDO LA LENGUA?

ES QUE...

¿Y POR QUÉ HAS PUESTO EL BRAZO SOBRE MIS HOMBROS JUSTO CUANDO ELLA MIRABA?

EL CASO ES QUE... EMMA Y YO **ÉRAMOS** MUY BUENAS AMIGAS.

Y OS HABÉIS PELEADO, ¿VERDAD?

SÍ.

EL DÍA QUE NOS CONOCIMOS, EN LA CAFETERÍA, ME DIJISTE QUE TUS AMIGAS NO HABÍAN IDO. ¿EMMA ERA UNA DE ESAS AMIGAS?

SÍ.

ESTUPEN-DO.

117

118

ALMA
BAKER
SPIER

QUERIDA ESPOSA,
MADRE E HIJA.

EL AMBIENTE ESTABA TODAVÍA FRÍO CUANDO ME SENTÉ A CENAR CON PAPÁ AQUELLA NOCHE.

¡RING!

YO CONTESTO, ESPERO LA LLAMADA DE UN CLIENTE... ¿HOLA?

PERDONE... ¿QUÉ ANTIBIÓTICOS? OH... ¿EN SERIO?

POKE

NO, NO ME LO HA CONTADO. ME SIENTO HALAGADO. SÍ, YO TAMBIÉN ESTOY MUY ORGULLOSO DE ELLA... NO SE PREOCUPE, LE DARÉ LA BUENA NOTICIA.

?

¿LUCY? ¿TE HA PASADO ALGUNA COSA HOY... FUERA DE LO ORDINARIO?

Click

¿QUIÉN HA LLAMADO?

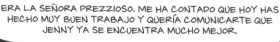

ERA LA SEÑORA PREZZIOSO. ME HA CONTADO QUE HOY HAS HECHO MUY BUEN TRABAJO Y QUERÍA COMUNICARTE QUE JENNY YA SE ENCUENTRA MUCHO MEJOR.

BUENO, CUÉNTAMELO AHORA. PARECE MUY INTERESANTE.

¡OH, PAPÁ! ¡NO PUEDO CREER QUE ME HAYA OLVIDADO DE CONTÁRTELO!

SE LO CONTÉ TODO... QUE A JENNY LE HABÍA SUBIDO LA FIEBRE, QUE TUVE QUE LLAMAR A DANA, QUE DESPUÉS VINO LA AMBULANCIA.

PAPÁ PARECÍA MUY IMPRESIONADO.

LA SEÑORA PREZZIOSO ME HA DICHO QUE ESTABA MUY ORGULLOSA DE TI...

Y YO TAMBIÉN LO ESTOY, CARIÑO.

¿DE VERDAD?

SÍ, MUCHO.

GRACIAS.

¿CREES QUE PODRÍA LLEVAR EL PELO ASÍ? AL MENOS ALGÚN DÍA, NO SIEMPRE.

...ESTÁ BIEN.

¡GRACIAS, PAPA!

AQUELLA NOCHE, ANTES DE IRME A LA CAMA, ESCRIBÍ DOS CARTAS: UNA PARA EMMA Y OTRA PARA DANA.

EN LAS DOS ME DISCULPABA CON ELLAS.

Domingo, 8 de febrero.

Hoy hace un mes que las participantes del Club Amigas y Cía. estamos peleadas. Me cuesta creerlo. Claudia, Emma y Lucy, espero que todas leáis esto que estoy escribiendo, porque pienso que esta pelea es una tontería y todas deberíais saberlo. Creía que éramos amigas, pero supongo que estaba equivocada.

Escribo esta carta porque mañana es el cumpleaños de Jamie Newton y estaremos todas allí para ayudar en la fiesta, y creo que puede ser un auténtico desastre. Espero que leáis esto antes de la fiesta porque creo que debemos estar preparadas para lo peor.

P.D. Si alguna de vosotras quiere hacer las paces, yo estoy más que dispuesta.

Ingrid

LO PRIMERO QUE HICE EL LUNES AL LLEGAR AL COLEGIO FUE BUSCAR A DANA.

Capítulo 14

TOMA, DANA... **POR FAVOR**, LEE ESTA CARTA.

*Querida Dana:
Lo siento muchísimo.*

Sé que te utilicé un par de veces para hacer rabiar a Emma. Pero me caes muy bien, de verdad, y creo que eres una de mis mejores amigas, aunque sea o no sea amiga de Emma. Lo siento, de verdad.

Dana...

*Espero que puedas perdonarme.
Te quiero,
Lucy.*

¡ESTÁS PERDONADA! YO SIENTO HABERME ENFADADO TANTO CONTIGO.

YO SIENTO HABERTE MENTIDO.

¡LUCY, TU PELO! ¿DÓNDE ESTÁN TUS TRENZAS?

¿TE GUSTA?

¡ME ENCANTA! ¡ESTÁS GUAPÍSIMA CON EL PELO SUELTO! ¿A VER QUÉ TAL POR DETRÁS? DATE LA VUELTA...

AL CABO DE UN RATO...

HAY QUE INTENTAR TRANQUILIZARLOS UN POCO. PRIMERO DAREMOS LOS REGALOS PORQUE ESTÁN TODOS MUY ANSIOSOS. DEBERÍAMOS HACERLO RÁPIDO.

¡LLEGÓ LA HORA DE LOS REGALOS! TODOS AQUÍ SENTADOS, CHICOS.

NO, SENTAOS ALLÍ MEJOR.

¡NO, HE DICHO **AQUÍ**!

JUNTO AL SOFÁ YA VA BIEN.

NECESITO QUE TRES DE VOSOTRAS ME AYUDÉIS AQUÍ Y QUE OTRA QUE VAYA A ECHARLE UN OJO AL BEBÉ.

132

LUCY, ¿PUEDES SERVIR TÚ EL ZUMO QUE HAS PREPARADO?

ESTÁ BIEN.

GLUP GLUP

¡EY! ¡TEN CUIDADO! ¡ME HAS SALPICADO ENTERA! ¡UNA IDEA GENIAL!

¡PLOC!

¡LA IDEA GENIAL HA SIDO TU PISOTÓN DE ANTES Y NO HABERME DICHO NADA SOBRE LA CARTA!

¿QUÉ CARTA?

CHICAS, ¿**QUÉ** ESTÁ PASANDO AQUÍ?

SÓLO HA SIDO UN PEQUEÑO INCIDENTE. LO SIENTO. **TODAS** LO SENTIMOS.

EMMA, ¿POR QUÉ NO VAS A LA COCINA A LIMPIARTE?

VAMOS, ECHÉMOSLE UNA MANO A EMMA.

ME TRAE SIN CUIDADO LO QUE DIGÁIS O PENSÉIS...

CONVOCO UNA REUNIÓN DEL CLUB EN CUANTO SE ACABE LA FIESTA. QUIEN QUIERA VENIR... GENIAL. Y QUIEN NO...

... TAMBIÉN.

ASÍ QUE...

ESTÁ BIEN, CHICAS... LLEVAMOS **SEMANAS** ENFADADAS Y YA VA SIENDO HORA DE QUE HAGAMOS ALGO AL RESPECTO.

HEMOS ESTADO A PUNTO DE ARRUINARLE LA FIESTA DE CUMPLEAÑOS A JAMIE. ME HE SENTIDO FATAL Y SÉ QUE VOSOTRAS TAMBIÉN. **ASÍ QUE**...

O SOLUCIONAMOS EL PROBLEMA O DEJAMOS EL CLUB. NO PODEMOS SEGUIR TRABAJANDO ASÍ. YO **NO** QUIERO QUE ESTO SE TERMINE... HEMOS PUESTO MUCHO ESFUERZO EN EL CLUB PARA QUE TODO ACABE ASÍ.

YO TAMPOCO QUIERO QUE DEJEMOS EL CLUB. SOIS MIS MEJORES AMIGAS EN STONEYBROOK.

PERO FINALMENTE HEMOS LLEGADO A UN ACUERDO.

Y YA QUE ESTAMOS... PUEDO QUEDARME HASTA LAS DIEZ LOS FINES DE SEMANA Y HASTA LAS NUEVE Y MEDIA ENTRE SEMANA.

ESTO ES INCREÍBLE...

DESPUÉS...

LUCY... HAY ALGO QUE NO ENTIENDO. ¿A QUÉ CARTA TE REFERÍAS EN LA FIESTA?

TE DEJÉ UNA CARTA EN EL ARMARIO DEL COLEGIO. TE PEDÍA PERDÓN... PENSÉ QUE COMO MÍNIMO PODÍAS HABERME DICHO QUE LA HABÍAS LEÍDO.

¡OH!

¡PERO ES QUE NO HE RECIBIDO NINGUNA CARTA!

¡OH, NO! ¡DEBO HABERME EQUIVOCADO DE ARMARIO!

NO, NO... ES QUE MI ARMARIO ESTÁ ROTO Y HOY NO LO HE PODIDO ABRIR. EL CONSERJE ME HA DICHO QUE INTENTARÍA CAMBIAR LA CERRADURA MAÑANA.

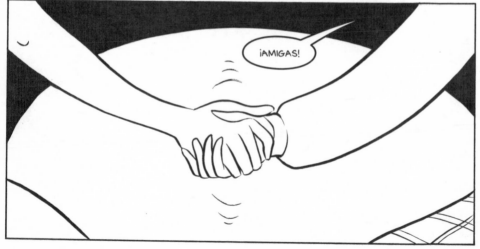

CUANDO LLEGUÉ A CASA EL TELÉFONO NO PARABA DE SONAR.

¿HOLA?

¡HOLA, SOY YO! ¡**NECESITABA** HABLAR CONTIGO!

¡HOLA, DANA! ¿QUÉ PASA?

¡NO TE LO VAS A CREER! MI MADRE HA ENCONTRADO UNA CAJA SIN ABRIR Y ¿A QUE NO SABES QUÉ HABÍA DENTRO?

¿QUÉ?

UN ÁLBUM DE FOTOS... CON UNA FOTO DE UNA FIESTA DEL COLEGIO.

¿EN SERIO? ¿Y QUÉ? ¿ERAN **ELLOS** O NO?

¡SÍ!

"MI MADRE LLEVABA UNA **ROSA** EN EL VESTIDO CON UN LAZO BLANCO. ASÍ QUE LE PREGUNTÉ QUIÉN ERA EL CHICO DE LA FOTO..."

ENTONCES PUSO UNA VOZ MELANCÓLICA Y ME DIJO: "OH, ERA RICHIE SPIER... ME PREGUNTO QUÉ HABRÁ SIDO DE ÉL".

DANA Y YO PENSAMOS QUE SERÍA DIVERTIDO QUE OS CONOCIERAIS DE AQUELLA ÉPOCA... ¿OS CONOCÍAIS?

SÍ... ÉRAMOS MUY BUENOS AMIGOS... PERO PERDIMOS EL CONTACTO. YO NO LES GUSTABA MUCHO A SUS PADRES. SALIMOS JUNTOS HASTA QUE YO ME FUI A LA UNIVERSIDAD Y LUEGO...

BUENO, ELLA SE MUDÓ A CALIFORNIA Y LE PERDÍ LA PISTA.

¿ASÍ QUE SHARON SE CASÓ?

... PERO ESTÁ DIVORCIADA.

HACE UN MES QUE HA VUELTO A STONEYBROOK CON DANA Y SU HERMANO PARA EMPEZAR DE NUEVO.

¿Y POR QUÉ NO TE LLEVABAS BIEN CON SUS PADRES?

OH... SUPONGO QUE SENCILLAMENTE PENSABAN QUE NO ERA LO SUFICIENTEMENTE BUENO PARA SU HIJA. MIS PADRES NO TENÍAN MUCHO DINERO CUANDO YO ERA JOVEN.

¿SABES UNA COSA, DANA?... EL SÁBADO ESTUVISTE GENIAL CON JENNY.

¿HABÍAS TRABAJADO DE NIÑERA EN CALIFORNIA?

SÍ, UN MONTÓN DE VECES.

DANA... TENGO QUE COLGAR. NOS VEMOS MAÑANA EN EL COLE, ¿VALE?

VALE.

FLASH FLASH

"¿ESTÁS AHÍ, EMMA?"

"SÍ, ¿QUÉ PASA?"

FLASH FLAAASH

"SE ME HA OCURRIDO UNA IDEA Y QUIERO HABLARLO CONTIGO".

Capítulo 16

UNOS DÍAS DESPUÉS.

¡LISTO! CREO QUE YA ESTÁ TODO.

MI PADRE ME HABÍA DEJADO INVITAR A MIS AMIGAS DEL CLUB A CENAR EN CASA. ¡NO PODÍA CREER QUE ME DIJERA QUE SÍ!

LA PIZZA ESTÁ EN EL HORNO, LA COMIDA DE INGRID TAMBIÉN ESTÁ LISTA...

¡DING DONG!

ERA UN ENCUENTRO ESPECIAL PORQUE HABÍA INVITADO A ALGUIEN MÁS: A DANA. TODAS QUERÍAN CONOCERLA.

¡YA ESTÁN AQUÍ! ¡DIOS MÍO! ¡TODAVÍA NO SON LAS CINCO! VOY A TENER QUE...

¡PUM!

¡OH, NO!

RELÁJATE, LUCY. YO VOY A ABRIR LA PUERTA. TÚ ORGANIZA TODO ESTO.

¡DIN DON!

¡SÍ QUE EMPEZAMOS BIEN!

UNOS MINUTOS MÁS TARDE.

LUCY NOS HA CONTADO QUE TIENES EXPERIENCIA COMO NIÑERA.

SÍ, COMENCÉ A CUIDAR A NIÑOS CUANDO TENÍA NUEVE AÑOS.

¿ALGUNA VEZ HAS TENIDO UNA EMERGENCIA?

¿UNA EMERGENCIA? DÉJAME PENSAR...

ESTUVO GENIAL EL DÍA QUE JENNY PREZZIOSO SE PUSO ENFERMA.

Y UNA VEZ HUBO UN INCENDIO EN UNA CASA DONDE ESTABA TRABAJANDO. UNOS CABLES SUELTOS... TUVE QUE SACAR A LOS NIÑOS DE LA CASA Y AVISAR A LOS BOMBEROS.

¡GUAU! ¿Y QUÉ PASÓ?

"LOS BOMBEROS LLEGARON EN SEGUIDA. LA COCINA ESTABA INUNDADA Y LLENA DE HUMO, PERO EL RESTO DE LAS HABITACIONES NO SUFRIÓ DAÑOS."

BOMBEROS

¿HASTA QUÉ HORA TE DEJAN ESTAR FUERA DE CASA?

NO SÉ, AHORA NO ESTOY SEGURA.

TENGO QUE PREGUNTARLE A MI MADRE. ¿HASTA LAS DIEZ? HACE TIEMPO QUE NO HAGO DE NIÑERA PARA NADIE QUE NO SEA MI HERMANO. TODAVÍA NO CONOZCO A MUCHA GENTE AQUÍ.

ESTÁ BIEN.

¿POR QUÉ OS HABÉIS VENIDO A VIVIR AQUÍ, DANA?

MIS PADRES SE HAN DIVORCIADO.

¿EN SERIO? YO SOY EXPERTA EN ESO.

¿DE VERDAD?

SÍ, MIS PADRES TAMBIÉN ESTÁN DIVORCIADOS. ES UN VERDADERO FASTIDIO.

Y YO SOY EXPERTA EN MUDANZAS.

LLEGUÉ DE NUEVA YORK EL VERANO PASADO. AL PRINCIPIO NO ME SENTÍA MUY BIEN, PERO AHORA TODO ES MUCHO MEJOR.

¡ESO ES PORQUE NOS CONOCIÓ A **NOSOTRAS**!

¡EXACTO!

ASÍ QUE, DANA, AHORA MISMO TENEMOS UN MONTÓN DE CLIENTES Y MUCHAS VECES NO DAMOS A BASTO. NOS IRÍA BIEN UNA AYUDA.

¿LUCY?... ¿QUIERES DECÍRSELO TÚ?

DANA... ¿TE GUSTARÍA FORMAR PARTE DE NUESTRO CLUB?

¿EN SERIO?

¡**CLARO** QUE SÍ! ¡ME ENCANTARÍA! MÁS QUE NADA EN ESTE MUNDO... GRACIAS, CHICAS.

Ann M. Martin's

Con más de 175 millones de ejemplares impresos, las historias de *Amigas & Cía.*, conocidas como *The baby-sitters club*, es una de las series más populares en la historia de la edición. Martin también es autora de aclamadas novelas. Actualmente vive en Nueva York.

Raina Telgemeier

Creció devorando cómics, cuidando a los hijos de otras personas y leyendo las aventuras de *Amigas & Cía.* en San Francisco. Se licenció en artes plásticas en la ciudad de Nueva York. Sus cómics han sido candidatos para los premios Ignatz y Eisner, y sus ilustraciones se han publicado en revistas, libros y periódicos. Actualmente, Raina vive en Queens, Nueva York.